RAOUL
DUFY

Couverture: Mozart (1915)

81 × 65

Collection particulière

GEORGE BESSON

DUFY

LES ÉDITIONS BRAUN ET Cie - PARIS
E. S. HERRMANN, NEW YORK

AVENUE DU BOIS (1909)
65 x 54

Collection particul

SI quelque patient érudit avait dressé la carte picturale de la France, quelles régions eussent été désignées comme d'indiscutables lieux d'attraction pour les peintres ?

Sans aucun doute la Provence et sa côte, la Bretagne, la Normandie de Saint-Lô à Giverny, de Dieppe au Mont Saint-Michel, la Catalogne de Collioure et de Céret. Et aussi, bien sûr, les rivages atlantiques chers à Corot, à Signac, à Marquet. L'Alsace, dites-vous ? A cause du père Hansi ? Soyons sérieux. Pourquoi pas la Franche-Comté sans Courbet, le Dauphiné après Jongkind, la Flandre privée des allusions de Gromaire, le Lyonnais sans Carrand ni Vernay ?

La Normandie n'a pas vu naître plus de peintres que l'Ile de France ou la Bourgogne. Mais quelle attirance la Normandie n'a-t-elle pas exercée ! Ses plages ne furent qu'aimants, ses plus petits ports tentacules — et rien n'a changé — pour attirer, pour ligoter les peintres depuis que l'art du paysage n'est plus un exercice en chambre, rideaux tirés.

N'est-ce pas entre Dieppe et l'estuaire de la Seine que se prépare le grand chambardement de l'Impressionnisme, qui nettoie tant d'yeux et de palettes, avec l'Anglais Bonington et ses compatriotes aquarellistes, avec les transfuges de Fontainebleau et les peintres romantiques, avec Courbet et Jongkind et Boudin ? Et ces artistes à leur insu annoncent la prise de conscience d'une nouvelle sensibilité visuelle, la venue de Monet et sa révolution de 1874 qui est un peu le 1789 de la peinture.

De 1861 à 1870, Courbet ne cherche pas ses vagues et ses barques à Venise, mais sur la côte normande. Jongkind ne peint pas à Barbizon mais à cette Mecque qu'est devenue Honfleur où tout peintre, dès lors, entend avoir fait retraite.

« Le long de cette côte poétique, écrit Hugues le Roux dans le *Gil Blas* du 3 mars 1889, le Havre est une ville neuve, un accident de fer et de moellons entassés, une ville américaine, sans passé, sans tradition d'art. On dirait que ceux qui y vivent n'ont pas de loisir de contempler l'admirable décor qu'ils habitent. Mais lorsque par hasard, un de ces Havrais, qui marchent les yeux attachés au sol, s'avise de lever la tête, il arrive alors qu'il est touché de la grâce. Sa vocation d'art se manifeste d'autant plus rare, que l'exemple des hommes lui a fait défaut : c'est la nature qui l'a appelé. »

Imaginons Claude Monet, élevé loin du Havre. Eut-il été peintre et, dans l'affirmative, eut-il été le même peintre ? Ignorant cette ville qui a pour rempart, et jusqu'au ciel, la mer, que fut-il devenu à Vétheuil comme à Londres, en Hollande et à Venise, sans le souvenir des irisations de la mer normande, sans les secrets de ses brouillards ? Et Boudin, né Provençal, eut-il été le même « chroniqueur du ciel » ?

Et Raoul Dufy, Normand du Havre ?

Le milieu ne façonne pas toujours les hommes. Deux frères de Raoul Dufy furent des musiciens. Lui aussi, parce que son père jouait de l'orgue en amateur, pouvait devenir violoniste, chef d'orchestre, compositeur. Il fut peintre. Il ne pouvait être que peintre, fut-il né à Paris ou à Bourg-en-Bresse. Insatiable chasseur d'images de partout et d'ailleurs, il ne fut ni un peintre d'atmosphère, sauf en sa période d'apprentissage, ni un dénicheur de reflets. Alors, le décor du Havre, sa couleur, sa magie, ses odeurs et ses résonances baudelairiennes — comme disent les livres — pouvaient-ils avoir sur Dufy, tout au moins sur le peintre, la grande influence que l'on prétend et que, peut-être lui-même exagérait lorsqu'il avouait sa dévotion à sa ville natale ?

Raoul Dufy, né au Havre le 3 juin 1877, a trois frères et six sœurs. Après des études primaires, le futur peintre doit travailler, et son départ dans la vie a quelques analogies avec l'apprentissage d'homme de Corot, employé de magasin et garçon de courses chez Ratier, marchand de drap, avant de se consacrer librement à la peinture. Raoul Dufy est, de 14 à 19 ans, aide-comptable et employé à la ré-

CALTAGIRONE 1922 (Sicile)
81 x 65

Collection particulière

; CANOTIERS (1925) Collection particulière

ception des arrivages de café du Brésil chez les importateurs suisses Luthy et Hauser. Mais il peut, dès l'âge de quinze ans, suivre les cours du soir de l'Ecole municipale des Beaux-Arts en compagnie de son compatriote Friesz. Leur professeur, « le père Lhuillier » élève de Cabanel, corrige leurs copies au fusain des moulages de sculptures antiques et inspire aux apprentis une admiration dont les témoignages sont restés aussi empreints de ferveur que les jugements portés par Marquet, Matisse, Rouault, Lehmann, etc... sur l'enseignement de leur maître Gustave Moreau.

Deux croquis exécutés en 1953, par Dufy, quelques jours avant sa mort pour l'illustration de cet album montrent, l'un l'atelier de Charles Lhuillier et ses élèves au travail, l'autre, un coin du port du Havre avec le cargo *Harry Scheffer* « sur lequel, rappelait le peintre, j'ai souvent chargé des sacs de café à destination de Rotterdam en sortant de l'école. »

Après un an de service militaire (1898-1899), Dufy part pour Paris. Il a une bourse municipale de cent francs par mois pour devenir l'élève de Bonnat à l'Ecole des Beaux-Arts. Il regarde du même œil amoureux Claude Gellée au Louvre, Jongkind, Monet, Pissarro dans les vitrines des marchands. Et dès cette première année de Paris — en décembre 1900 — probablement entraîné par Friesz, il s'initie à la stratégie artistique. La municipalité d'Asnières organise un concours pour la décoration d'une salle de son Hôtel de Ville. Dufy y participe et se trouve être le concurrent d'aînés déjà célèbres : Paul Signac et Henri Rousseau le Douanier. Le jury composé est de six membres choisis par l'administration et de trois artistes élus par les concurrents. Monet, Renoir, Pissarro recueillent les voix de Dufy, Signac, et Rousseau, mais Harpignies, Besnard, Humbert leur sont préférés et dès le premier scrutin, les noms de Bouvet, Smitt et Darien, peintres académiques parfaitement insignifiants, sortent de l'urne.

En 1901, Raoul Dufy « vivant comme un pauvre mais rêvant comme un riche », expose au Salon des Artistes français, à partir de 1903 au *Salon des Indépendants*, en 1905 au *Salon d'Automne*. Et grâce à un peintre doué, oublié aujourd'hui, Maurice Delcourt, qui a quelque influence sur Dufy, le jeune Havrais fait sa première exposition particulière, rue Victor-Massé, dans la boutique de Berthe Weil, marché aux puces miniature où les toiles de Matisse, de Marquet, de Van Dongen, voisinent avec des romans dépenaillés, des bibelots de bazar, des robes du soir de l'autre siècle...

En compagnie de Marquet, Dufy voyage. Complices de bonne humeur et besogneux, ils sont en 1904, à Fécamp, peignent côte à côte en 1906 les mêmes palissades pavoisées d'affiches à Trouville, la même estacade à Sainte-Adresse, la même rue du Havre le jour du 14 juillet etc...

En 1909, Dufy bénéficie, au même titre qu'André Lhote, des libéralités d'un philantrophe, le président Bonjean, sous la forme d'un séjour, à Orgeville en Normandie, dans une ferme dont l'excellent homme avait rêvé de faire une sorte de Villa Médicis pour artistes mariés. C'est alors que Dufy se met à la gravure sur bois, prépare l'illustration du *Bestiaire* de Guillaume Apollinaire et s'intéresse à l'école d'art décoratif *Martine* de Paul Poiret. Dans cette école, des fillettes de 12 à 13 ans copient, sans professeur, des fleurs, des verdures destinées à la décoration de tapis et de tissus pour robes. Les résultats obtenus sont assez étonnants pour que l'enseignement libre de l'école *Martine* et la transposition industrielle de ses travaux fassent de Poiret, jusqu'en 1914, le couturier le plus parisien et l'initiateur d'une mode décorative nouvelle. Dans ses souvenirs *En habillant l'époque*, il raconte les débuts de sa collaboration avec Dufy : « Nous rêvions de rideaux éclatants et de robes décorées dans le goût de Botticelli ... Je donnai à Dufy les moyens de réaliser quelques-uns de ses rêves. En quelques semaines, nous montions un atelier d'impression dans un petit local de l'avenue de Clichy... Nous découvrions un chimiste, nommé Zifferlin, ennuyeux comme un dimanche d'hiver, mais qui connaissait à fond la question des colorants, des encres lithographiques, des anilines, des réserves grasses et des mordants. Nous voilà tous deux, Dufy et moi comme Bouvard et Pécuchet, à la tête d'un métier nouveau dont nous allions tirer des joies et des exaltations nouvelles. » Mais, assez vite, et d'un commun

'CE. LE CASINO DE LA JETÉE (1927)
46 x 38

Collection particulière

accord le peintre et le couturier se séparent. Le Lyonnais Bianchini propose à Dufy un développement de ses entreprises décoratives. Et, de cette collaboration sort une série de brocards et de tissus divers imprimés qui sont aujourd'hui dans les musées l'équivalent des productions les plus célèbres d'Oberkampf à Jouy-en-Josas, de ses émules du XVIIIe siècle et de successeurs tels que le Lyonnais Vernay entre 1870 et 1890 et, pendant quelques années, le peintre Bernard Lorjou. Les dernières impressions de Dufy sont, en 1924, dans la manière des toiles de 1912 (l'*Escale*, le *Chasseur*), les grands rideaux exécutés par les manufactures Bianchini de Tournon pour décorer la péniche *Orgues* de Poiret (les *Régates du Havre*, les *Courses de Longchamps*, *le Baccarat à Deauville*, etc...).

Il est pendant un an, attaché au Musée de la guerre (1917-1918). Puis il peint à Vence. Il est en Sicile en 1922 avec Pierre Courthion, son plus fidèle biographe, en 1926 au Maroc avec Poiret. Il illustre ou orne plus de cinquante livres, plaquettes et almanachs, donne des dessins aux *Cahiers d'aujourd'hui* (1921-1922) et fait des aquarelles pour le catalogue : *Monseigneur le vin* (1936) etc... Il collabore avec le céramiste Artigas (1923-1934) en décorant des vases et, parce qu'à son avis un appartement sans verdure est austère, il modèle et orne de paysages de minuscules jardins de salon. Il exécute pour le Châtelet les décors du ballet de *Palm-Beach*, des panneaux décoratifs pour le théâtre de Chaillot et la singerie du Jardin des Plantes, compose un mobilier de salon pour la manufacture de Beauvais, peint à l'eau, à l'huile, peint sans cesse à Paris, à Marseille, à Hyères, à Nice, à Cannes, à Deauville pour aboutir au gigantesque panorama de dix mètres de haut et de soixante mètres de large exécuté pour le pavillon de l'Electricité de France, à l'exposition universelle de 1937, vaste synthèse de tous les spectacles du monde qui enchantèrent ce magicien.

M. Pierre Camo, dans son remarquable ouvrage sur *Dufy l'enchanteur* donne la description de ce vaste « poème héroïque et didactique » : « Le sujet choisi consistait à représenter depuis l'origine du monde, une sorte d'histoire naturelle du fluide générateur de la force et de la lumière. La difficulté était de concrétiser par l'image une abstraction scientifique et de l'animer (...). Il a ouvert l'entrée d'un vaste et magnifique jardin de formes et de couleurs où, comme dans un monde enchanté, les Dieux et les Déesses, le Soleil et la Lune, les Etoiles et les Comètes, la Foudre et l'Arc-en-Ciel président à la représentation variée des productions de la nature et des inventions de l'esprit humain... Une haute bordure, dans le bas, reproduit, avec une exactitude rigoureuse, les portraits des savants et des philosophes à qui l'humanité actuelle est redevable de son savoir... »

A la déclaration de la guerre, en 1939, Dufy qui souffre déjà de polyarthrite, vient de terminer l'amusante transposition du *Moulin de la Galette* de Renoir d'après le fac-similé de Braun. Rien de la parodie du *Bois Sacré* de Puvis de Chavannes par Lautrec. Il erre de Paris à Montsaunès dans la Haute-Garonne chez Roland Dorgelès, de Nice à Céret et se fixe à Perpignan pour recevoir les soins de son ami le docteur Nicolau. C'est dans cette retraite et malgré son enthousiasme relatif pour un art qu'il avait d'abord jugé anachronique que Dufy entreprend deux tapisseries pour Louis Carré : le *Bel Eté* et la *Naissance de Vénus*. Dans la page d'hommage à Dufy réalisée par *Les Lettres françaises* au lendemain de sa mort, M. Jean Lurçat a raconté son voyage de 1941 à Amélie-les-Bains pour communiquer à Dufy certains secrets de la fabrication d'Aubusson susceptibles de faciliter ses nouvelles réalisations. Et le maître lissier de révéler que le carton de Dufy en cours fut en réalité « un morceau joué à quatre mains ». Peut-être. Mais, lorsque M. Lurçat évoque les béquilles sur lesquelles Dufy était obligé de se traîner, il commet peut-être une erreur, car les 26, 27 et 28 octobre 1942, Dufy est à Lyon, sans béquilles, auprès de sa femme qui vient d'être opérée. Et si les amis qu'il fréquente l'entendent se plaindre de ses douleurs rhumatismales, c'est sans aide qu'il rentre le soir, du centre de Lyon à son Hôtel de Bordeaux, à Perrache. Les années passées à Perpignan sont des plus fructueuses. « Je travaille beaucoup, écrit-il. De temps en temps ça va. Je voudrais tant trouver une conclusion à tous mes travaux en réalisant cette formule dont je rêvais quand j'étais jeune et à la recherche de laquelle j'ai passé ma vie. » Il espère, il est gai. D'Aix-les-Bains, le 20 juillet 1943, il écrit encore : « L'exposition chez Carré m'a apporté en effet une approbation quasi unanime, ce qui m'inquiète; qu'est-ce qui se passe ? Une petite engueulade m'aurait fait plaisir et m'aurait rappelé un temps de jeunesse... qui n'est pas si loin après tout. Eh bien, mon cher, j'ai fini par la recevoir. Je suis un peintre zazou, swing, dépourvu d'imagination et dont l'art sue un mortel ennui. Si après ça vous avez encore le courage de donner suite à votre projet de monographie de mes peintures c'est que vous êtes zazou vous-même et vous ne serez pas approuvé par un M. Mosdyc qui tient la rubrique des B.A. dans la feuille « *Au Pilori* »...

En octobre 1949, Dufy retrouve à Paris son atelier de l'Impasse Guelma, son fidèle André Robert, secrétaire et ami, le chevalet des beaux jours. Son état de santé s'est aggravé. Il part le 11 avril 1950 pour suivre à Boston un traitement anti-rhumatismal à la cortisone. Il fait des aquarelles à New-York. Une cure de soleil à Tuson (Arizona) lui est conseillée et le voici de nouveau à Paris en 1951. Assis sur un tabouret tournant, il peint. Il est toujours bavard devant son chevalet, et blagueur comme l'était Renoir dont il rappelle l'infirmité. Dufy a encore l'espoir d'une amélioration. Il ira vivre à Forcalquier « l'endroit le plus sec de toute la France ». Il s'y installe et c'est à la fin de l'hiver 1952-1953 anormalement rigoureux, même en Haute-Provence, la grave et longue congestion pulmonaire dont il se relève difficilement. Au début de mars, il écrit pourtant : « je suis enfin sorti du brouillard de la maladie... ». Le soir du dimanche 22 mars, au retour d'une promenade en automobile, une crise cardiaque l'abat et c'est le lendemain au matin que meurt Raoul Dufy, l'enchanteur, le magicien, le gentil Dufy.

Elles sont presque aussi nombreuses que les séries des orchestres, les compositions de Dufy qui s'ornent d'une partition portant les noms de Bach, de Chopin, de Claude Debussy, plus souvent les six lettres du nom de Mozart. A croire que le papillon Mozart fut une des obsessions du papillon Dufy. Ils étaient fait pour s'entendre. Si j'avais lu le nom de Beethoven au premier plan d'un tableau du cher

Normand, fou de musique comme il était fou de peinture, peut-être n'aurais-je pas admiré son art avec moins de ferveur, mais il me semble que j'eusse été moins attiré par l'homme. Il y a ainsi à travers le monde de drôles de mammifères qui exigent que leurs amis soient des blocs, de cœur et d'âme, sans fissures. Je n'ai jamais osé dire à Dufy la joie qu'il m'avait donnée en négligeant d'inscrire sur une de ses peintures le nom du trop solennel et très pesant Ludwig Van Beethoven, son contraire. Aussi raisonneur que Pierre Bonnard et aimant à contredire, le farfadet Dufy eut essayé de me faire sentir — sans aucun succès, je vous l'assure — pourquoi l'andante de la *Pastorale* ou tel quatuor le mettait en transes et, dès le lendemain, il eut été capable d'ajouter à la splendeur d'un paysage, histoire de m'embêter, le nom de mon intime ennemi. Sans l'avouer, il aimait sans doute à retrouver dans la sensiblerie ostentatoire du demi-dieu de Bonn l'équivalent d'une rengaine de Paul Delmet, un air de son enfance qu'avait peut-être fredonné, dans la côte de Sainte-Adresse, sa première petite amie.

Raoul Dufy, « archange rose et blond » rieur et pétulant n'avait rien d'un demi-dieu. Il fit même tout ce qu'il fallait pour ne pas être aligné vers l'an 2.000 sur ces semble-divinités harassantes à force de solennité et d'autant plus difficiles à déloger de leur empyrée qu'elles sont plus embêtantes. Il faut s'y prendre très tôt pour préparer sa tête et sa pose devant l'éternité. Et pour laisser entendre aux nigauds que la mission de l'artiste ne peut être que sacerdotale.

Dufy n'essaya pas de faire cet apprentissage de célébrité olympienne. N'y avait-il pas en lui trop d'espièglerie et de charmante impertinence ? Trop de malicieux enjouement, de désir de plaire en restant naturel et de se divertir en amusant les autres ? Jamais, il ne força sa voix, trop attentif à ne rien exprimer qu'avec mesure et finesse, à ne pas laisser oublier que la peinture est faite de lignes et de couleurs et non de raisonnements. « Travaillait-il, s'est demandé M. Dorgelès ? Non, ce mot grave ne lui convient pas, il s'amusait. »

Il y a des tableaux devant lesquels le public se croit obligé de prendre la pose du Penseur — de Michel-Ange ou de Rodin — comme

RÉGATES A COWES (1934)
100 × 81

Collection particulière

il y a certaine musique qu'il n'écoute que le visage entre les mains. Il faut se méfier de cette peinture. De cette musique aussi ou, si vous le préférez, de ce public.

L'art de Dufy est, paraît-il, comparable à une musique légère dans la mesure où l'on juge légère la musique de Rameau, de Mozart, comme est légère, c'est-à-dire dépourvue d'emphase et d'inquiétude ostentatoire, la peinture de Watteau, de Renoir. Ce qui ne prouve pas que Watteau, Renoir, Dufy, ne créèrent pas dans les pires transes et que l'œuvre la plus séduisante, et en apparence la plus heureuse, n'ait pas été peinte par un tuberculeux sans illusions ou par des arthritiques dont les jours et les nuits ne furent que rongements et désespoir.

Pour faire contre mauvaise fortune bon cœur et pour exalter la joie de vivre, Renoir disait en grimaçant : « Un tableau doit être une chose aimable, joyeuse, jolie... oui jolie. Il y a, dans la vie, assez de choses em...bêtantes pour que nous n'en fabriquions pas d'autres plus embêtantes encore. »

Et je crois que Dufy avoua que les yeux sont faits pour effacer ce qui est laid. S'il ne s'exprime pas ainsi, il en fut bien capable. C'est peut-être pour de tels propos que Dufy, si amoureusement de son temps, apparaît comme une anomalie en cette première moitié du XXe siècle, un franc-tireur dans l'inextricable maquis qu'est la peinture française si souvent extra-picturale. Elle n'a rien de métaphysique, rien d'une expérience de laboratoire, de la corvée de caserne ou de prison, la peinture de Dufy qui, en imposant sa vision sut concilier ce qui paraît inconciliable : le sujet et la technique et réhabiliter ce qui semblait déshonorer ou honteux: l'esprit, le goût, le charme, la grâce, l'émotion...

Après le concours d'Asnières de 1900, Paul Signac disait du projet de Dufy : « ...agréable de couleur, mais aux motifs trop copiés pas assez créés... »

La revanche n'allait pas tarder.

En souvenir du Havre et de la mer, Dufy regarda Monet, adopta en passant les bonnes et les mauvaises manières des fortes têtes dont on fit « les fauves », fit quelques politesses à Matisse (plus qu'à Cézanne), à Picasso cubiste avec une idée de derrière la tête, l'idée d'un homme qui entend bien n'en faire qu'à son gré.

Il fallut moins de dix ans à Raoul Dufy pour se rendre maître du mystérieux pouvoir de trouver le condensé plastique de ses sensations. Si l'enfant, en ignorant tout du métier d'apprenti-peintre, parvient à nous émerveiller, Raoul Dufy arriva à d'analogues enchantements par la possession totale de techniques dont il s'ingénia d'ailleurs à augmenter les ressources. Ce n'est pas assez dire qu'il digéra la nature, le gourmand Dufy — ce qui est la fonction de l'artiste — il la réduisit à l'état de pièces détachées qu'il retoucha avec espièglerie, peignit en clair et remonta au gré de son caprice, moins soucieux de vérité que d'une vraisemblance conforme à ses effusions.

Il y a ainsi le cheval et le jockey Dufy, l'épi de blé et le coquillage, le violoncelle, la batteuse et le palmier Dufy, le bateau Dufy qui flotte ou ne flotte pas mais, à coup sûr, s'envole. Il y a la vague Dufy abrégée en forme de V renversé comme signe clandestin de victoire. Et il n'y a pas un bout de croquis, coloré ou non, qui ne soit une revanche sur la peinture-système, une victoire sur le quotidien. « J'ai beau faire, a-t-il dit, je ne vous donne qu'une partie de ma joie intérieure... »

Devant une œuvre où tant de curiosité et d'émotion est camouflée de sourires et rend pesant et comme décoloré ce qui l'entoure, devant la puissance d'incantation de sa couleur et le magnétisme de sa mystérieuse syntaxe, on ne cesse de découvrir l'enjôleur que fut Dufy. Fut-il jamais si convaincant imposteur ? Rarement la réalité avait été fardée de couleurs si heureuses, narguée avec tant de gentille impertinence, enrichie d'une telle somme de messages humains. Si les vrais poètes lyriques de la fin du XIXe siècle ne furent pas, comme on l'a dit, les écrivains en vers, mais les peintres-impressionnistes, Raoul Dufy, leur complice a droit à la même consécration.

George BESSON

OIR DE MOISSONS EN NORMANDIE (1934)
65 x 54

Collection particulière

BASSIN DES YACHTS A DEAUVILLE (vers 1936)

Collection particulière

HAD some patient scholar drawn up a pictorial map of France, what regions would he have marked as indisputable centres of attraction for painters?

Provence and its coast, no doubt; Brittany, Normandy from St.-Lo to Giverny, from Dieppe to Mont Saint-Michel; the Catalonia of Collioure and Céret. Also, certainly, the Atlantic shores beloved by Corot, Signac and Marquet.

Normandy has witnessed the birth of no more painters than the Ile de France or Burgundy. Two or three every century, so the officials in charge of the world of art affirm. For one province, that is really not so bad. But then, think of all its attractions! Its beaches were magnets, its little ports tentacles—and they still are—to lure and shackle painters ever since the art of landscape painting ceased to be a mere indoor exercice behind drawn curtains.

Was it not between Dieppe and the estuary of the Seine that the mighty upheaval of Impressionism took shape—that movement which swept clean the vision and palettes of so many—with Bonington and the English water-colourists, with the deserters from Fontainebleau and the romantic painters, with Courbet, Jongkind and Boudin? And these artists unwittingly paved the way for a new visual sensibility, for the advent of Monet and his revolution of 1874, which was in a way the 1789 of painting.

From 1861 to 1870, Courbet sought his waves and his fishing-boats, not at Venice but on the coast of Normandy. He worked at Etretat, at Le Havre, at Honfleur and at *Mère* Toutain's farm of Saint-Sauveur with Boudin, Monet and Dumas *père*—his "*père* Dumass". Jongkind was not painting at Barbizon but at the Mecca that Honfleur had become, wither every painter henceforth aimed to retire.

"Along this poetic coast", wrote Hugues le Roux in *Gil Blas* on the 3rd March, 1889, "Le Havre is a new town, an accident of heaped-up iron and stone, an American town, with no past and no artistic tradition. One would think that its inhabitants have not the leisure to contemplate the admirable setting in which they live. But if by chance one of these men of Le Havre who walk with their eyes fixed on the ground takes it into his head to look up, then he is touched by grace. His artistic vocation proves all the more rare for the lack of example from his fellow-men : it is nature which has called him".

Supposing Claude Monet had been brought up far from Le Havre, would he have been a painter and, if so, would he have been the same painter ? Not knowing this town, which has the sea and the sky for its ramparts, what would he have become at Vétheuil or in London, in Holland or in Venice, without the memory of the iridescent sea of Normandy, without the secrets of its mists ? And would Boudin, had he been born in Provence, have been the same "chronicler of the sky ?"

And Raoul Dufy, a Norman of Le Havre ?

Environment does not always shape a man. Two of Raoul Dufy's brothers were musicians. He too, because his father was an amateur organist, could have become a violinist, a conductor or a composer. But he was a painter. He could have been nothing else, whether born in Paris or at Bourg-en-Bresse. Insatiable in his pursuit of images wherever he went, he was neither a painter of atmosphere, except in his period of apprenticeship, nor a searcher-out of reflections. So could the scenery of Le Havre, its colours, its magic, its smells and Baudelairean echoes (as the books say) have had over Dufy, at least over Dufy the painter, the great influence they are claimed to have had, and which he himself perhaps exaggerated when he admitted his devotion to his native town ?

Raoul Dufy, born at Le Havre on the 3rd June, 1877, had three brothers and six sisters. After an elementary education the future painter had to go out to work, and his start in life was in some ways analogous with that of Corot, who was a shop-assistant and

ATES (1938) Collection particulière
110 x 46

errand-boy at Ratier's the draper's, before devoting himself freely to painting. Between the ages of 14 and 19, Raoul Dufy was an assistant accountant and checked the arrival of consignments of coffee from Brazil for the Swiss importers Luthy and Hauser. But, from the age of 15, he was able to attend the evening courses at the municipal art school in company with his compatriot Friesz. Their teacher, "*père* Lhuillier", a pupil of Cabanel, corrected their charcoal studies of plaster casts of antique statues and filled his apprentices with admiration, their expressions of which betray as great a fervour as the opinions of Marquet, Matisse, Rouault, Lehmann and others on the teaching of their master Gustave Moreau.

Of two sketches made for this book by Dufy in 1953, a few days before he died, one shows Charles Lhuillier's studio with his pupils at work, and the other a corner of the port of Le Havre with the cargo boat *Harry Scheffer*, "on which", the artist recalled, "I often helped to load sacks of coffee destined for Rotterdam on coming out of school".

After a year of military service (1898-1899), Dufy set out for Paris. He had a municipal scholarship of 100 francs a month, which enabled him to become the pupil of Bonnat at the Ecole des Beaux-Arts. With the same loving eye he studied the works of Claude in the Louvre and those of Jongkind, Monet and Pissarro in the dealers' windows. And from this first year in Paris (in December, 1900) probably coached by Friesz, he initiated himself into artistic strategy. The municipality of Asnières organised a competition for the mural decoration of a room in its Town Hall. Dufy entered for it and found himself competing with older and already famous men like Paul Signac and the Douanier Rousseau. The jury was composed of six members chosen by the administration and three artists elected by the competitors. Dufy, Signac and Rousseau nominated Monet, Renoir and Pissarro; but they were outvoted in favour of Harpignies, Besnard and Humbert and at the first draw the names of Bouvet, Smitt and Darien, academic painters of no significance whatsoever, came out of the urn.

In 1901 Raoul Dufy, "living like a pauper but dreaming like a rich man" exhibited at the *Salon des Artistes Français;* from 1903 on at the *Salon des Indépendants*, and in 1905 at the *Salon d'Automne*. And thanks to Maurice Delcourt, a gifted painter to-day forgotten, who had some influence over him, the young Dufy held his first one-man show in the Rue Victor-Massé, in the shop of Berthe Weil, a miniature flea-market where canvases by Matisse, Marquet and Van Dongen rubbed elbows with tattered novels, bazaar goods and old-fashioned evening dresses.

In company with Marquet, Dufy travelled. Rivals in good humour and poverty, they were at Fécamp in 1904, painted side by side the same poster-decked hoardings at Trouville in 1906, the same pier at Sainte-Adresse, the same street in Le Havre on the 14th July, and so on.

In 1909, at Estaque, Braque replaced Marquet, and the following year Dufy benefited, for the same reason as André Lhôte, from the liberality of a philantropist, President Bonjean, in the form of a sojourn at Orgeville in Normandy, on a farm which the worthy man dreamed of making into a sort of Villa Medicis for married artists. It was then that Dufy first began to engrave on wood, prepared the illustrations for Guillaume Apollinaire's *Bestiaire* and became interested in Paul Poiret's *Ecole Martine* for decorative arts. In this school little girls of twelve and thirteen copied, without a teacher, flowers and foliage intended to adorn hangings and dress-materials. The results obtained were so astonishing that the free teaching of the *Ecole Martine* and the industrial transposition of its work made Poiret, up to 1914, the leading Parisian dress-designer and the initiator of a new fashion in decoration. In his memoirs—*En habillant l'Epoque*—he describes the beginning of his collaboration with Dufy. "We used to dream of dazzling curtains and gowns adorned in the taste of Botticelli... I gave Dufy the means to realise some of his dreams. In a few weeks we set up a printing shop in small premises on the Avenue de Clichy... We discovered a chemist called Zifferlin, as dreary as a winter Sunday, but who knew the problems of dyes, lithographic inks, anilines, fat resistants and acids backwards. There we were, the pair of us, like Bouvard and Pécuchet, at the head of a new profession which was to bring us new joys and new triumphs." But fairly soon, and by mutual consent, the painter and the couturier parted company. Bianchini of Lyons approached Dufy to help develop his decorative enterprises. And this collaboration gave rise to a series of brocades and various other printed materials which are to-day in museums the equivalents of the most celebrated products of Oberkampf at Jouy-en-Josas, of his imitators of the 18th century and of his successors like Vernay of Lyons between 1870 and 1890 and, for a few years, of the painter Bernard Lorjou. Dufy's last designs in 1924 were in the manner of his canvases of 1912 (*L'Escale*, *Le Chasseur*), the great curtains executed by the Bianchini works at Tournon for Poiret's pinnace *Orgues* (the *Régates du Havre*, the *Courses de Longchamps*, *Baccarat à Deauville*, etc.).

For a year he was attached to the War Museum (1917-1918). Then he painted at Vence. In 1922 he was in Sicily with Pierre Courthion, his most faithful biographer, and in 1926 in Morocco with Poiret. He illustrated or decorated more than 50 books, brochures and almanacs; gave drawings to the *Cahiers d'Aujourd'hui* (1921-1922) and did watercolours for Nicolas' catalogue *Monseigneur le Vin* (1936). He collaborated with the ceramist Artigos (1923-1934), decorating vases, and, because in his view an apartment without greenery was austere, he modelled and decorated with landscapes miniature indoor gardens. He designed scenery for the ballet *Palm Beach* at the Châtelet Theatre, and decorative panels for the Théâtre de Chaillot and the monkey-house at the Jardin des Plantes; designed a suite of furniture for the Beauvais works; painted in oils and watercolours; painted ceaselessly in Paris, Marseille, Hyères, Nice, Cannes and Deauville, to end up with the gigantic panorama 40 feet high and 200 feet wide painted for the Electricity Pavillon at the Paris Exhibition in 1937—a vast synthesis of all the sights in the world that had enchanted this magician.

M. Pierre Camo, in his remarkable work *Dufy l'Enchanteur*, describes this immense "heroic and didactic poem" : "The subject chosen consisted of representing, beginning with the origin of the world, a sort of natural history of the generative fluid of power and light. The difficulty was to put into concrete form and animate a scientific abstraction by means of images... He opened up the doors to a vast and wonderful garden of shapes and colours in which, as in an enchanted world, Gods and Godesses, the Sun and the Moon, Stars and Comets, Lightning and the Rainbow presided over the varied representation of the products of nature and the inventions of the human brain. A deep border at the foot reproduced, in exact likenesses, portraits of the scholars and philosophers to whom present-day humanity owes its knowledge..."

On the declaration of war in 1939, Dufy, who was already suffering from polyarthritis, had just completed the amusing transposition of Renoir's *Moulin de la Galette* from the Braun print. There is nothing here of Lautrec's parody of Puvis de Chavannes' *Bois Sacré*. He wandered from Paris to Montsaunès in Haute Garonne, where he stayed with Roland Dorgelès; then from Nice to Céret, and finally settled at Perpignan, where he was treated by his friend Dr. Nicolau. It was in this retreat and in spite of his qualified enthusiasm for an art which he had at first regarded as anachronistic, that Dufy designed tapestries for Louis Carré—*Le Bel Eté* and *La Naissance de Vénus*. In the page of homage to Dufy published by *Les Lettres Françaises* on the day after his death, M. Jean Lurçat described his trip in 1941 to Amélie-les-Bains to pass on to Dufy certain secrets of the Aubusson works which might help him in his new creations. And he revealed that the cartoon on which Dufy was working was in reality a "duet". Perhaps it was. But when M. Lurçat recalled the crutches on which Dufy was forced to drag himself around, he perhaps committed an error. For on the 26th, 27th and 28th of October, 1942, Dufy was at Lyons without crutches, to be near his wife who had just undergone an operation. And even if the friends he saw heard him complain of his rheumatic pains, he returned home at night unaided, from the centre of Lyons to his Hôtel de Bordeaux at Perrache. The years spent at Perpignan were the most fruitful. "I am working hard", he wrote. "From time to time it goes well. I should so much like to find a conclusion to all my work by achieving that formula of which I used to dream

LES MOISSONS A LANGRES (1938)
73 x 50

Collection particulière

when I was young and in search of which I have spent my whole life". He was hopeful, he was gay. From Aix-les-Bains on the 20th July, 1943, he again wrote: "The exhibition at Carré's has indeed earned me almost unanimous approval, which disturbs me. What is happening? A little ticking off would have pleased me and recalled my youth, which is not so far off, after all. Well, *mon cher*, I have finally received it. I'm a spiv, a jazz painter, devoid of imagination, and my art exudes a mortal tedium. If, after that, you still have the courage to carry out your project of a monograph on my paintings, you must be a spiv yourself and you will not be approved of by a certain Monsieur Mosdyc, who writes the B. A. column in the paper *Au Pilori*."

In October, 1949, Dufy returned to Paris, to his studio in the Impasse Guelma, his faithful secretary and friend André Robert, and the easel of happier days. His health had deteriorated. On the 11th April, 1950, he left for Boston where he underwent cortizon treatment for his rheumatism. He painted watercolours in New York. A sun cure at Tucson, Arizona, was advised and then he was back in Paris in 1951. Sitting on a revolving stool, he painted. He was still loquacious before his easel, and as full of jokes as Renoir, whose infirmity he echoed. Dufy still had hopes of an improvement. He went to live at Forcalquier, "the driest place in all France". He settled there; and at the end of the winter of 1952-1953, abnormally harsh even for Haute Provence, came the serious and long attack of pneumonia from which he only recovered with difficulty. However, at the beginning of March, he wrote: "I have at last emerged from the fog of illness..." On the evening of Sunday, 22nd March, on returning from a drive, he had a heart attack and on the following morning Raoul Dufy, the enchanter, the magician, the gentle Dufy, died.

Almost as numerous as his series of orchestras are the compositions by Dufy adorned with a score bearing the names of Bach, Chopin, Claude Debussy and, most often, the six letters of Mozart's name. One might think that the butterfly Mozart was one of the obsessions of the butterfly Dufy. They were made to get on together. If I had read the name of Beethoven in the foreground of a picture by this dear man, as mad about music as he was about painting, perhaps I should have admired his art no less fervently, but I think I should have been less drawn to him as a man. Troughout the world there are strange mammals like this, who demand that their friends be solid blocks of heart and soul, without fissures. I never dared to tell Dufy of the joy he gave me by neglecting to inscribe on one of his paintings the name of the over-solemn and ponderous Ludwig van Beethoven, his direct opposite. As argumentative as Pierre Bonnard and equally fond of contradicting, the elfin Dufy would have tried—without success—to make me feel why the Andante movement of the Pastoral Symphony entranced him, and would perhaps the very next day have added to the splendour of some landscape the name of my private enemy, simply to annoy me. Who knows if the mischievous Dufy would not have been sincere? Without admitting it, he doubtless liked to discover in the ostentatious emotionalism of the demigod of Bonn the equivalent of a refrain of Paul Delmet's, a melody from his childhood which perhaps his first girl friend had hummed on the coast of Saint-Adresse.

Raoul Dufy, "a pink and gold archangel", laughing and petulant, had nothing of a demigod about him. He even did all he could to avoid being ranked in the year 2000 with those seeming divinities, so tediously solemn and the harder to dislodge from their pinnacles the more tedious they are. One has to set about it early, preparing one's head and one's posture before eternity; and to let the boobies understand that the mission of the artist can only be sacerdotal.

Dufy did not try to serve this apprenticeship of Olympian fame. He was too full of mischief and charming impertinence. He had too much malicious playfulness, too much desire to please by remaining natural and to enjoy himself by entertaining others. He never raised his voice, too anxious always to express himself with care and subtlety, always to let it be remembered that painting is composed of lines and colours and not of arguments. "Did he work?" wondered M. Dorgelès. "No, such an earnest word does not fit him : he enjoyed himself."

'ATELIER (1939)
148 x 119

Collection Pierre Berès

N FRÈRE GASTON (réplique 1950)
65 x 54

Collection particulière

There are some pictures before which certain people believe themselves obliged to adopt the pose of a thinker (Michelangelo's or Rodin's), just as there is some music to which they only listen with their heads in their hands. Such painting is to be mistrusted. Such music too, or, if you prefer it, such a public.

Dufy's art is, it seems, comparable to light music, in the degree in which Rameau's or Mozart's music is regarded as light; or just as painting of Watteau or Renoir is light, that is to say devoid of ostentatious emphasis and restlessness. Which does not prove that Watteau, Renoir, and Dufy did not create on tenterhooks and that the most seductive and apparently happiest works were not painted by a man dying of tuberculosis without illusions, or by arthritics whose days and nights were filled with agony and despair.

To face misfortune with a smile and exalt the joy of living, Renoir used to say with a grimace of pain : "A picture should be something pleasing, gay, pretty—yes, pretty. There are enough unpleasant things in life without our having to fabricate others even more so."

And I think that Dufy acknowledged that our eyes are made to abolish what is ugly. If he did not actually express this thought, he was quite capable to doing so. It is perhaps for such remarks that Dufy, a man so in love with his time, seems almost an anomaly in this first half of the 20th century, a sniper in the hopelessly tangled jungle of French painting, which is so often non-pictorial. There is nothing metaphysical, nothing in the nature of a laboratory experiment, nothing laboured about Dufy's painting which, in imposing his vision, managed to reconcile what appears irreconciliable—subject and technique—and to rehabilitate what seemed to be despicable or shameful—wit, taste, charm, grace and emotion.

After the Asnières competition of 1900, Paul Signac said of Dufy's project : "...pleasing in colour, but the motifs are too much copied and not sufficiently created..."

It was soon to be the other way round.

In memory of Le Havre and of the sea, Dufy studied Monet, took up *en passant* the good and bad manners of the men who became the *Fauves*, exchanged compliments with Matisse (rather than with Cézanne) and with the Cubist Picasso; but always with one idea at the back of his mind, the idea of a man who means to do exactly as he pleases.

It took Raoul Dufy less than ten years to make himself a master of the mysterious power to find the plastic means of expressing his sensations. If a child, totally ignorant of the craft of painting, can arouse our wonder, Raoul Dufy contrived similar enchantments through complete possession of techniques whose resources he further strove to expand. It is not enough to say that the *gourmand* Dufy digested nature (which is the function of the artist); he reduced it to the state of detached pieces which he mischievously retouched, painted in plain language and reassembled following his own whim, less concerned with truth than with a likeness which conformed with his own feelings.

There are thus Dufy the horse and Dufy the jockey, the ear of corn and the shell; Dufy the 'cello', the threshing-machine and the palm tree; Dufy the ship that floats or, rather, takes wing. There is Dufy the wave, epitomised in an inverted V as a clandestine sign of victory. And there is not one sketch, coloured or otherwise, which is not the reverse of systematic painting and a victory over the commonplace. "However hard I try," he said, "I only give you part of my inner joy."

Before works in which so much curiosity and feeling is camouflaged by smiles, works which make their surrounding heavy and almost colourless; before the evocative power of their colours and the magnetism of their syntax, one ceaselessly discovers what an enticer Dufy was. Was there ever so convincing an impostor? Seldom has reality been disguised in such happy colours, defied with such gentle impertinence, enriched with such a sum of human messages. If the true lyric poets of the end of the 19th century were not, as has been said, the writers of poems but the Impressionist painters, then Raoul Dufy, their accomplice, has a right to the same title.

George BESSON
(Translated by Robin Chancellor)

CONCERT (1949)
81×65

Collection particulière

DIE Normandie war nicht Geburtsheimat von mehr Malern als die Ile de France oder Burgund. Doch welch gewaltige Anziehungskraft hat sie ausgeübt ! Magnetisch zogen ihre Küsten die Maler an und ihre kleinen Häfen hielten sie wie mit Fangarmen fest — und dies noch heute —, seit die Landschaftsmalerei nicht mehr im Zimmer mit verhängten Vorhängen ausgeübt wird.

Gerade zwischen Dieppe und der Seinemündung hat sich jener grosse Klärungsprozess des Impressionismus vorbereitet, der mit Bonington und anderen englischen Aquarellisten, mit den Ueberläufern aus Fontainebleau und den romantischen Malern, mit Courbet, Jongkind und Boudin Augen und Paletten reinigen sollte. Und alle diese Künstler arbeiten, ohne es zu wissen, an dem Bewusstwerden einer neuen visuellen Empfindungswelt, an dem Aufkommen Monets und seiner Revolution von 1874, die für die Malerei ein wenig das Datum der grossen Revolution von 1789 bedeutet.

Man stelle sich Claude Monet fern von Le Havre aufgewachsen vor. Wäre er Maler gewesen, und wenn ja, der gleiche Maler ? Ohne diese Stadt gekannt zu haben, vom Meer gleich einem Wall bis zum Himmel umgeben, ohne die Erinnerungen an den irisierenden Ozean der normannischen Küste, an seine geheimnisvollen Nebel, was wäre wohl aus ihm in Vétheuil, in London, in Holland oder Venedig geworden ? Und wäre wohl Boudin als Provençale der gleiche « Chronist des Himmels » gewesen ?

Und Raoul Dufy, Normanne aus Le Havre ?

Das Milieu formt nicht alle Menschen gleich. Zwei Brüder Raoul Dufy's wurden Musiker. Auch er hätte, weil sein Vater aus Liebhaberei Orgel spielte, Geiger, Dirigent oder Komponist werden können. Er wurde Maler. Er konnte nichts anders als Maler werden, wäre er auch in Paris oder Bourg en Bresse geboren. Dieser überall unersättliche Bilderjäger, war übrigens ausser in seiner Lehrzeit weder speziell ein Maler der Atmospäre noch auch nur ein Sucher von Beleuchtungseffekten. So hatten wohl kaum Stadtbild oder Landschaft von Le Havre mit Farbe, Magie, Gerüchen und baudelaire'schen Anklängen jenen angeblich grossen Einfluss zumindestens auf den Maler, von dem die Bücher sprechen und den er wohl vielleicht auch selbst übertreibt, wenn er von seiner Anhänglichkeit an die Geburtsstadt spricht.

Raoul Dufy, am 3. Juni 1877 in Le Havre geboren, hat drei Brüder und sechs Schwestern. Nach Besuch der Volksschule muss der künftige Maler arbeiten, und sein Eintritt ins Leben hat manches Gemeinsame mit dem von Corot, der, bevor er sich frei der Malerei widmen konnte, Ladenschwengel und Laufbursche bei dem Tuchhändler Ratier war. Raoul Dufy ist von 14-19 Jahren Rechnungsgehilfe und Angestellter für die Empfangnahme der Kaffeesendungen aus Brasilien bei der Schweizer Importfirma Lüthy und Hauser. Doch kann er von seinem fünfzehnten Lebensjahre an, gemeinsam mit seinem Landsmann Friesz, Abendkurse an der städtischen Kunstschule besuchen. Ihr Lehrer, «Père Lhuillier», Schüler Cabanels, korrigiert ihre Kohle-Zeichnungen nach Gipsabgüssen antiker Skulpturen und flösst seinen Schülern eine Bewunderung ein, für die Aussprüche von ähnlicher Begeisterung zeugen wie die Urteile Marquets, Matisse's, Rouaults und Lehmanns über den Unterricht ihres Lehrers Gustave Moreau.

Zwei Zeichnungen führte Dufy 1953, einige Tage vor seinem Tode, für die Illustrierung dieses Albums aus. Von diesen zeigt die eine das Atelier von Charles Lhuillier und seine Schüler bei der Arbeit, die andere eine Ecke des Hafens von Le Havre mit dem Frachter *Harry Scheffer*, «auf dem ich», erinnert der Maler, «oft nach der Schule Kaffeesäcke verlud, die nach Rotterdam bestimmt waren».

Nach einjährigem Militärdienst (1898-1899) geht Dufy nach Paris. Dank einem städtischen Stipendium von monatlich hundert Franken wird er Schüler bei Bonnat an der Ecole des Beaux Arts. Er betrachtet mit gleicher Liebe im Louvre Claude Lorrain und in den Läden der Kunsthändler Jongkind, Monet und Pissarro. Und gleich in diesem ersten Pariser Jahre — im Dezember 1900 — erprobt er sich vermutlich unter dem Einfluss von Friesz in der künstlerischen Strategie. Die Gemeinde von Asnières schreibt für den Schmuck ihres Rathauses einen Wettbewerb aus, an dem Dufy teilnimmt und so in Konkurrenz mit schon berühmten älteren Malern wie Paul Signac und dem Zöllner Henri Rousseau tritt. Die Jury setzt sich aus sechs von der Verwaltung und drei von den Bewerbern gewählten Vertretern zusammen. Dufy, Signac und Rousseau bezeichnen Monet, Renoir und Pissarro, doch zieht die Mehrzahl der Bewerber diesen Harpignies, Besnard und Humbert vor, und so werden gleich bei der ersten Abstimmung die Namen von Bouvet, Smitt und Darien, völlig wesenlosen akademischen Malern, auserwählt.

1901 stellt Raoul Dufy, « der wie ein Armer lebt, doch wie ein Reicher träumt », im offiziellen Salon aus, doch ab 1903 im *Salon des Indépendants* und im Jahre 1905 im *Salon d'Automne*. Und dank einem begabten, doch heute vergessenen Maler, Maurice Delcourt, der einen gewissen Einfluss auf Dufy ausübt, macht der junge Maler aus Le Havre in dem Laden von Berthe Weil, rue Victor-Massé, seine erste Sonderausstellung.

Dufy reist gemeinsam mit Marquet. Gleich arm wie wohlgelaunt sind sie 1904 in Fécamp, malen Seite an Seite 1906 in Trouville die gleichen Plakatfassaden, in Sainte-Adresse die gleichen Hafenbäume, die gleiche beflaggte Strasse in Le Havre am 14. Juli u. a....

1909 geniesst Dufy gleich André Lhote die grosszügige Gastfreundschaft eines Philantropen, des Präsidenten Bonjean, in dessen Landhaus in Orgeville in der Normandie, aus dem dieser brave Mann eine Art Villa Medici für verheiratete Künstler zu machen im Sinne hatte. Damals beginnt Dufy, sich mit dem Holzschnitt vertraut zu machen, bereitet die Illustration des *Bestiaire* von Guillaume Apollinaire vor und interessiert sich für die Kunstgewerbeschule *Martine* von Paul Poiret. In dieser Schule zeichnen kleine Mädchen von 12-13 Jahren ohne Lehrer nach Blumen und Pflanzen, die für den Schmuck von Teppichen und Kleiderstoffen bestimmt sind. Poiret erzählt in seinen Erinnerungen « En habillant l'époque » die Anfänge seiner

Zusammenarbeit mit Dufy: « Wir träumten von Vorhängen in leuchtenden Farben und von im Geschmack von Botticelli verzierten Kleidern... Ich gab Dufy die Mittel, einige seiner Träume zu realisieren. In einigen Wochen richteten wir in einem kleinen Raum in der Avenue de Clichy ein Druckatelier ein... ». Doch Maler und Schneider sollten sich bald unter beiderseitigem Einverständnis trennen. Der Lyoner Bianchini schlägt Dufy eine weitere Auswertung seiner dekorativen Unternehmungen vor; aus dieser Zusammenarbeit entsteht eine Reihe von Brokaten und verschiedener gedruckter Seidenstoffe, die heute in den Museen ihre Gegenstücke in den berühmtesten Erzeugnissen von Oberkampf in Jouy-en-Josas, seiner Schüler aus dem XVIII. Jahrhundert und von Nachfolgern wie dem Lyoner Vernay zwischen 1870 und 1890 sowie in den während einiger Jahre von dem Maler Bernard Lorjou geschaffenen Stoffen haben. Die letzten Drucke Dufy's sind die 1924 in der Art der Bilder von 1912 (die *Landung*, der *Jäger*) von den Manufakturen Bianchini in Tournon für den Schmuck des Vergnügungsbootes *Orgues* von Poiret ausgeführten grossen Vorhänge (Regatten in Le Havre, Rennen in Longchamps, Baccara in Deauville, etc...). Ein Jahr lang (1917-1918) ist er Attaché am Kriegsmuseum. Dann malt er in Vence. 1922 ist er mit Pierre Courthion, seinem getreuesten Biographen, in Sizilien, 1926 mit Poiret in Marokko. Er illustriert oder schmückt über fünfzig Bücher, Bändchen oder Almanache, gibt (1921-1922) Zeichnungen für die *Cahiers d'Aujourd'hui* und macht eine Reihe Aquarelle für den Katalog des Weinhändlers Nicolas: *Seine Hoheit der Wein* (*Monseigneur le vin*) (1936) etc... Er arbeitet (1923-1934) mit dem Keramiker Artigos bei dem Schmuck von Vasen zusammen und entwirft Anordnung und Landschaftsschmuck von winzigen kleinen Salongärtchen, da seiner Meinung nach eine Wohnung ohne Grün zu ernst wirkt. Für das Theater Châtelet führt er die Dekorationen des Ballets *Palmbeach* aus, malt Wanddekorationen für das Theater Chaillot und das Affenhaus des Jardin de Plantes, entwirft den Bezug von Salonmöbeln für die Manufaktur von Beauvais, malt mit Wasser- und Oelfarben, malt unaufhörlich in Paris, Marseille, Hyères, Nizza, Cannes und Deauville, um schliesslich das gigantische Panorama von 10 Meter Höhe

JAZZ MEXICAIN (1951)
66 x 51

Collection particulière

und 60 Meter Breite für den Pavillon der Elektrizitätsgesellschaft an der Weltaustellung von 1937 auszuführen, umfassende Synthese aller Zaubereien dieser Welt, die den Künstler entzücken.

Pierre Camo gibt in seinem glänzenden Werk *Dufy l'enchanteur* eine Beschreibung dieses umfangreichen «heroisch-didaktischen Poems»: «Der gewählte Vorwurf bestand in der Wiedergabe einer Art Naturgeschichte jenes Fluidums, das seit Urbeginn Kraft und Licht erzeugt. Die Schwierigkeit bestand darin, eine wissenschaftliche Abstraktion durch bildliche Darstellung zu konkretisieren und zu beleben (...) Er hat den Eingang zu einem weiten und grossartigen Garten geöffnet, in dem gleich Blumen aus Formen und Farben wie in einer verzauberten Welt Götter und Göttinnen, Sonne und Mond, Sterne und Kometen, Blitz und Regenbogen der mannigfaltigen Darstellung der Naturkräfte und Erfindungen des menschlichen Geistes präsidieren. In einem hohen Randstreifen sind unten mit strenger Genauigkeit die Portraits der Gelehrten und Philosophen wiedergegeben, denen die heutige Menschheit ihr Wissen verdankt»...

Bei Kriegsausbruch 1939 beendet Dufy, der bereits an Polyartritis leidet, gerade seine amüsante Umsetzung des *Moulin de la Galette* von Renoir nach einem Faksimile von Braun, die nichts von der Parodie des *Geweihten Haines* des Puvis de Chavannes durch Lautrec hat. Er irrt von Paris nach Montsaunès in der Haute-Garonne zu Roland Dorgelès, von Nizza nach Céret und lässt sich in Perpignan nieder, um dort von seinem Arztfreunde Nicolau gepflegt zu werden. An dieser Zufluchtsstätte unternimmt er trotz einer nur relativen Begeisterung für die Gobelin-Kunst, die er anfangs als anachronistisch ansieht, zwei grosse Teppichwebereien für Louis Carré : *Den schönen Sommer* und die *Geburt der Venus*. Anlässlich der Ehrung die die *Lettres Françaises* für Dufy nach seinem Tode veröffentlichten, erzählt Jean Lurçat die Reise, die er 1941 nach Amélieles-Bains unternahm, um Dufy durch die Mitteilung gewisser Fabrikationsgeheimnisse von Aubusson die Verwirklichung seiner Entwürfe zu erleichtern. Und der Teppich-Meister enthüllt, dass der Karton von Dufy in Wirklichkeit «ein vierhändig gespieltes Stück» war. Mag sein. Doch, wenn Lurçat von den Krücken spricht, an denen Dufy sich damals herumschleppen musste, begeht er vielleicht doch einen Irrtum. Dann am 26., 27. und 28. Oktober 1942 ist Dufy in Lyon ohne Krücken bei seiner Frau, die man operiert hat. Und wohl hören ihn seine Freunde sich über seine rheumatischen Schmerzen beklagen, doch kehrt er abends ohne Krücken aus dem Zentrum von Lyon in sein Hotel nach Perrache zurück. Die in Perpignan verbrachten Jahre sind ganz ausserordentlich fruchtbar. «Ich arbeite viel», schreibt er, «Von Zeit zu Zeit geht es, und ich wünschte so sehr als Abschluss aller meiner Arbeiten jene Lösung zu finden, von der ich träumte, als ich noch jung war und die zu suchen ich mein Leben verbracht habe». Er hofft und ist vergnügt. Aus Aix-les-Bains schreibt er noch am 20. Juli 1943: «Die Ausstellung bei Carré hat mir tatsächlich eine fast einstimmige Anerkennung gebracht, und das beunruhigt mich; was ist nur los? Eine kleine Anrempelei hätte mir Spass gemacht und mich an die Zeit meiner Jugend erinnert, die schliesslich nicht so fern ist... Nun, mein Lieber, habe ich sie schliesslich doch bekommen. Ich bin ein Maler-Zazou, Swing ohne Phantasie, dessen Kunst eine tödliche Langeweile ausströmt. Wenn Sie nun noch den Mut haben, Ihren Plan einer Monographie meiner Malerei auszuführen, sind Sie selber Zazou und werden nicht von einem Herrn Mosdye gebilligt werden, der die Rubrik der Bild-Künste in dem Blatt *Au Pilori* (Am Pranger) führt...»

Oktober 1949 findet Dufy in Paris sein Atelier Impasse Guelma, seinen getreuen Sekretär und Freund André Robert und die Staffelei seiner alten schönen Zeiten wieder. Doch hat sich sein Gesundheitszustand verschlimmert. Er fährt am 11. April 1950 nach Boston, um sich dort einer anti-rheumatischen Cortisone-Kur zu unterziehen. Er macht in New-York Aquarelle. Man rät ihm zu einer Sonnen-Kur in Tuson (Arizona) und von neuem ist er 1951 in Paris. Er malt auf einem drehbaren Schemel. Vor seiner Staffelei ist er immer gesprächig und scherzhaft, wie Renoir es war, an den er durch seine Krankheit erinnert. Dufy hat noch Hoffnung auf Besserung. Er wird nach Forqualquier gehen, «dem trockensten Ort in ganz Frankreich». Dort lässt er sich tatsächlich nieder, und am Ende des selbst für die Hoch-Provence ungewöhnlich strengen Winters 1952-

USIQUE MILITAIRE (1951)
40 x 40,5

Collection particulière

SAINTE-ADRESSE (1951)
66 x 51

Collection particulière

1953 zieht er sich eine schwere und langwierige Lungenentzündung zu, von der er sich nur mühsam wieder erholt. Anfang März schreibt er noch: «Endlich bin ich aus dem Nebel der Krankheit heraus...» Am Abend des Sonntags den 22. März, auf dem Rückweg einer Automobilspazierfahrt erleidet er einen Herzanfall. Raoul Dufy, der Zauberkünstler und Verzauberer, der liebenswürdige Dufy stirbt am nächsten Morgen.

Fast ebenso zahlreich wie die Reihe seiner Orchester-Bilder sind jene Kompositionen Dufy's, die mit Partituren verziert sind, welche den Namen von Bach, Chopin, Claude Debussy und öfter noch die sechs Buchstaben des Namens von Mozart tragen. Der beschwingte Mozart war offenbar eine Leidenschaft des beflügelten Dufy. Die beiden waren wie geschaffen um sich zu verstehen. Wenn ich im Vordergrund eines solchen Bildes von Dufy, der Musik ebenso leidenschaftlich wie Malerei liebte, den Namen Beethoven gelesen hätte, hätte ich seine Malerei wohl nicht weniger leidenschaftlich bewundert, doch wäre ich, scheint mir, persönlich weniger von dem Menschen angezogen worden. Es gibt nun einmal in der Welt drollige Menschen, die von ihren Freunden verlangen, dass sie wie aus einem Stück sind, ein Herz und eine Seele. Niemals habe ich gewagt zu sagen, welche Freude er mir gemacht hat, indem er unterliess, auf einer seiner Malereien den Namen seines grössten Gegensatzes, des zu feierlichen und gewichtigen Beethoven aufzuzeichnen. Dufy, dieser Schalk, der ebenso räsonnierte und vom Widerspruchsgeist besessen war wie Bonnard, hätte mir — gewiss ohne Erfolg — klarzumachen versucht, warum ihn das Andante der Pastorale oder eins der Quartette in Verzückung versetze, und wäre im Stande gewesen, nächsten Tages, nur um mich zu ärgern, den Namen meines intimen Gegners in die Herrlichkeit einer Landschaft einzufügen.

Ohne es einzugestehen liebte er zweifellos, in der zur Schau getragenen Gefühlsbetontheit des Bonner Halbgottes das Äquivalent eines Refrains von Paul Delmet wiederzufinden, Lied seiner Kindheit, das er vielleicht auf den Hängen von Sainte-Adresse seine erste Jugendfreundin trällern hörte.

Raoul Dufy, «rosig-blonder Erzengel», heiter und übersprudelnd, hatte nichts von einem Halbgott. Er tat sogar alles Nötige, um nicht um das Jahr 2000 herum in diese durch ihre Feierlichkeit aufreizenden Scheingottheiten eingereiht zu werden, die um so schwieriger aus ihrem Planetenhimmel zu vertreiben sind, je mehr verdriessliche Langweile sie um sich verbreiten. Man muss sich sehr früh daran machen, Kopf und Pose für die Ewigkeit vorzubereiten um den Dummköpfen klarzumachen, dass der Künstler nur eine priesterliche Mission zu erfüllen hat.

Dufy versuchte nicht, diese olympische Berühmtheit einzustudieren, er besass zuviel angeborene Schelmerei und geistvollen Witz, zuviel schelmische Verspieltheit, den Wunsch, zu gefallen und dabei natürlich zu bleiben, und sich selbst zu unterhalten, indem er die anderen amüsierte. Niemals übersteigerte er seine Sprache, er war zu sehr bemüht, alles mit Mass und Zartheit auszudrücken und vergessen zu machen, dass Malerei schliesslich nur aus Linien und Farben und nicht aus Reflexionen besteht. «Arbeitete er?», fragt sich Dorgelès, «Nein, dies zu ernste Wort passte nicht auf ihn, er amüsierte sich».

Ein gewisses Publikum glaubt sich vor gewissen Bildern verpflichtet, die Pose des Denkers sei es des von Michelangelo oder von Rodin anzunehmen, so wie dies selbe Publikum gewisse Musik nur in sich aufnimmt, wenn es das Gesicht in den Händen vergräbt. Man muss sich vor solcher Malerei hüten; vor dieser Art Musik gleichfalls, oder besser gesagt, vor solcher Sorte Publikum.

Dufy's Kunst ist, wie es scheint, leichter Musik vergleichbar insofern als man Rameau's oder Mozarts Musik als leicht beurteilt, oder auch die Malerei Watteau's oder Renoirs leicht, d. h. unbeschwert von Emphase und zur Schau getragener Zerrissenheit ist. Dies beweist jedoch nicht, dass Watteau, Renoir und Dufy nicht unter schlimmsten Qualen schufen, und dass das anziehendste und scheinbar glücklichste Werk nicht von einem hoffnungslosen Tuberkulösen oder von Artritikern gemalt worden ist, deren Tage und Nächte von Qual und Verzweiflung erfüllt waren. Um gute Miene zum bösen Spiel zu machen und seine Lebensfreude anzustacheln,

CH (1952)
65 x 54

Collection particulière

sagte Renoir mit einer Grimasse: «Ein Bild muss lieblich, freudig und hübsch... ja hübsch sein. Es gibt im Leben schon mehr als genug verdriessliche Dinge, als dass man noch mehr und schlimmere dazu machen sollte».

Und ich glaube, dass Dufy's tiefste Ueberzeugung war, dass die Augen geschaffen sind, um das Hässliche auszulöschen. Wenn er sich auch so nicht ausdrückte, wäre er doch recht wohl dazu im Stande gewesen. Vielleicht ist es gerade wegen solch einer Zielsetzung, dass Dufy, der seine Zeit doch so liebte, dennoch wie eine Anomalie in dieser ersten Hälfte des XX. Jahrhunderts erscheint, wie ein Freischärler in dem undurchdringlichen Dickicht der so oft von ganz aussermalerischen Elementen durchwucherten französischen Malerei. Sie hat nichts Metaphysisches, nichts von einem Laboratoriumsexperiment, von Kasernen- oder Gefängnisarbeit, die Malerei Dufy's. Sie verstand, Inhalt und Technik, scheinbar unversöhnlich, miteinander durch ihre Vision zu versöhnen, und rehabilitierte, was entwürdigt oder verächtlich schien: Geist, Geschmack, Liebreiz, Grazie und Empfindung...

Nach dem Wettbewerb von Asnières sagte Paul Signac 1900 von Dufy's Entwurf: «...angenehm in der Farbe, aber mit zu sehr kopierten Motiven nicht gut genug gestaltet...»

Die Revanche sollte nicht lange ausbleiben.

In Erinnerung an Le Havre and das Meer betrachtete Dufy Monet, nahm vorübergehend die guten und schlechten Manieren später «fauves» genannten Dickschädel an, machte einige höfliche Verbeugungen vor Matisse (mehr als vor Cézanne) wie auch vor Picassos Kubismus, doch hatte er immer dabei eine Idee im Kopf, die Idee eines Mannes, der fest entschlossen ist, nach eigenem Gutdünken zu handeln. Es gelang Dufy, in weniger als zehn Jahren jene mysteriöse Kraft zu meistern, die darin besteht, seine Empfindungen bildnerisch zu kondensieren. Wenn Kinder uns oft gerade durch ihre völlige Ahnungslosigkeit des Malerhandwerks in Entzücken setzen können, erreicht Dufy ganz ähnliche Freuden gerade durch die virtuose Beherrschung einer Technik, deren Möglichkeit er übrigens mit allen Mitteln seiner Phantasie stets zu erweitern sucht. Zu sagen, dass Dufy wie ein Feinschmecker die Natur verdaute — es ist dies die Funktion jedes Künstlers — genügt nicht; er zerlegte sie in alle ihre Bestandteile, veränderte diese schelmisch, putzte sie heller heraus und setzte sie wieder nach seinen Launen zusammen, wobei er weniger Wahrheit als eine Wahrscheinlichkeit anstrebte, die sich mit seinem lyrischen Empfinden deckte.

So entstand ein Dufy-Pferd, ein Dufy-Jockey, -Getreidehalm oder -Muschel; Cello, Dreschflegel oder Palme erhalten ihre Dufy-Form. Die Dufy-Boote schwimmen oder schwimmen nicht, immer aber fliegen sie davon. Die Dufy-Welle gleicht abgekürzt einem umgestürzten V-Zeichen wie eine heimliche Siegesbotschaft (von Victoire). Und es gibt von ihm keine Skizze mit oder ohne Farben, die nicht gegen jede Systematik in der Malerei anrennt und einen Sieg über die Alltäglichkeit bedeutet. « So sehr ich mich auch bemühe », hat er gesagt, « kann ich doch nur einen Bruchteil meiner inneren Freude mitteilen »...

Man hört nicht auf, vor einem Werke, in dem so viel Wissensbegierde und so viel Erregung unter Lächeln verborgen sind, so dass alles, was es umgibt, überschwer und wie farblos erscheint, vor der Intensität seiner Farbharmonie und der geheimnisvollen Anziehungskraft seiner Ausdrucksmittel, stets erneut den raffinierten Verführer zu entdecken, der in Dufy steckte. Hat je ein anderer so überzeugenden Trug gestaltet ? Selten wurde die Wirklichkeit mit so glückverheissenden Farben geschminkt, mit so freundlicher Bosheit zum Besten gehalten und mit einer solchen Fülle menschlicher Aussagen bereichert. Wenn die wahren Lyriker Ende des XIX. Jahrhunderts, wie man gesagt hat, nicht die Versdichter, sondern die impressionistischen Maler waren, so hat ihr Vertrauter, Dufy, mit vollem Recht Anspruch auf den gleichen Ehrentitel.

ANDRÉ ROBERT: RAOUL DUFY (1951)
(Croquis)

GJON MILI:
PORTRAIT DE RAOUL DUFY (1951)
(New-York)

Je vais essayer avec une main qui
ne marche pas très bien de vous
raconter une histoire sur Marquet
qui vous amusera. Dans l'Été
1904 nous étions Marquet et moi
allés passer une journée de Régates
à Fécamp pour y peindre.
Dans la matinée, l'idée nous
vint de visiter la Maison Tellier
dans le salon notre regard fut
tout de suite attiré par la couverture jaune de l'édition courante
du roman de Maupassants, nous faisions
nos compliments à la Patronne que nous
avions invités à prendre l'apéritif elle ci
nous dit qu'elle faisait lire le roman de
Maupassant sur la maison à chaque
nouvelle pensionnaire. Cette affirmation
nous mit, vous pensez bien, dans une
véritable joie! Enfin le Patron entre dans

la conversation, nous vanta la
bonne réputation de sa maison
l'honorabilité et le sérieux de
sa clientèle. Après que nous eû-
mes bu la tournée du Patron il
nous reconduisit jusqu'à la porte
et dans le couloir avant de nous
quitter il nous dit que nous lui
plaisions beaucoup qu'il voyait
qu'il avait affaire à des gentlemen
et il nous proposa de nous vendre
sa maison dans de très bonnes
conditions et avec facilités de
payements. A l'éclat de rire
qui lui répondit il vit que
nous n'étions pas les gens sérieux
qu'il croyait.

Raoul Dufy

EXTRAIT D'UNE LETTRE DE RAOUL DUFY A GEORGE BESSON (Janvier 1948)

ATELIER DE RAOUL DUFY - IMPASSE GUELMA A PARIS

AUTO-PORTRAIT (avant 1900)
Collection particulière

Photo Braun

FLEURS (1902)
Collection particulière

Photo Bernheim-Jeune

LES RÉGATES (1908)
Collection particulière

Photo Bernheim-Jeune

AVENUE DU BOIS (1909)
Collection particulière

Photo P. L. Thiessard

BAIGNEUSES (1910)
Collection particulière

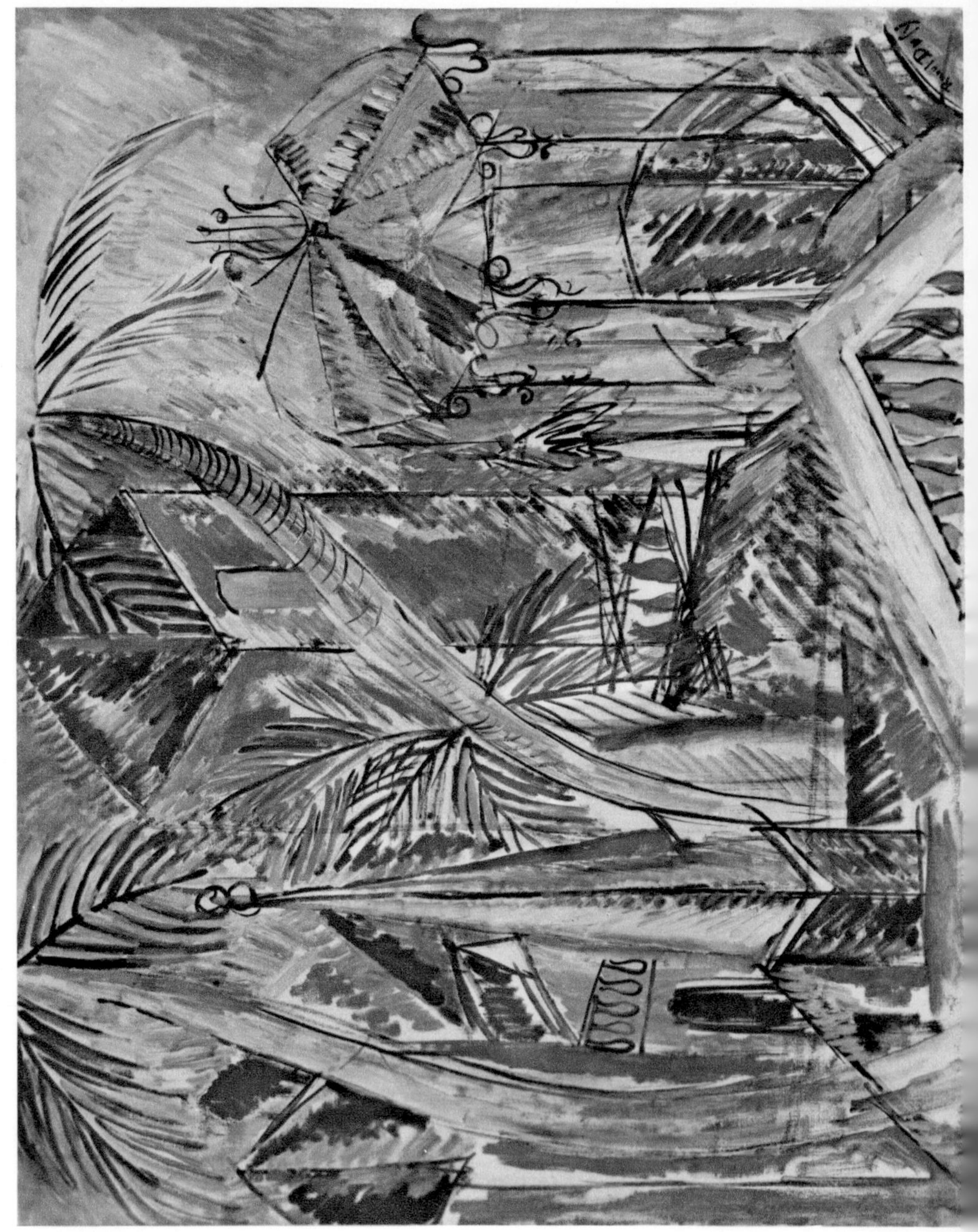

PAYSAGE PROVENÇAL (1913, Hyères)
Collection particulière

Photo Chevojon

CAVALIER BLANC SUR FOND BLEU (1914)
Collection Madame Hamos

VENCE (1920)
Collection particulière

Photo Braun

PORTRAIT DE JOACHIM GASQUET (1919)

MARSEILLE. LE VIEUX PORT (1925)
Collection particulière

Photo Bernheim-Jeune

L'OBÉLISQUE A HYÈRES (1927)
Collection particulière

Photo Thiriet

AUX COURSES (Aquarelle 1931)
Collection particulière

Photo Karque

LA RELÈVE DE LA GARDE A SAINT-JAMES PALACE (1936) Photo Karquel
Collection particulière

NICE (1936)
Collection particulière

Photo P. L. Thiessard

L'HINDOUE
Collection particulière

Photo Braun

LE VIOLONISTE (Dessin 1936)
Collection particulière

Photo Galerie Louis Carré

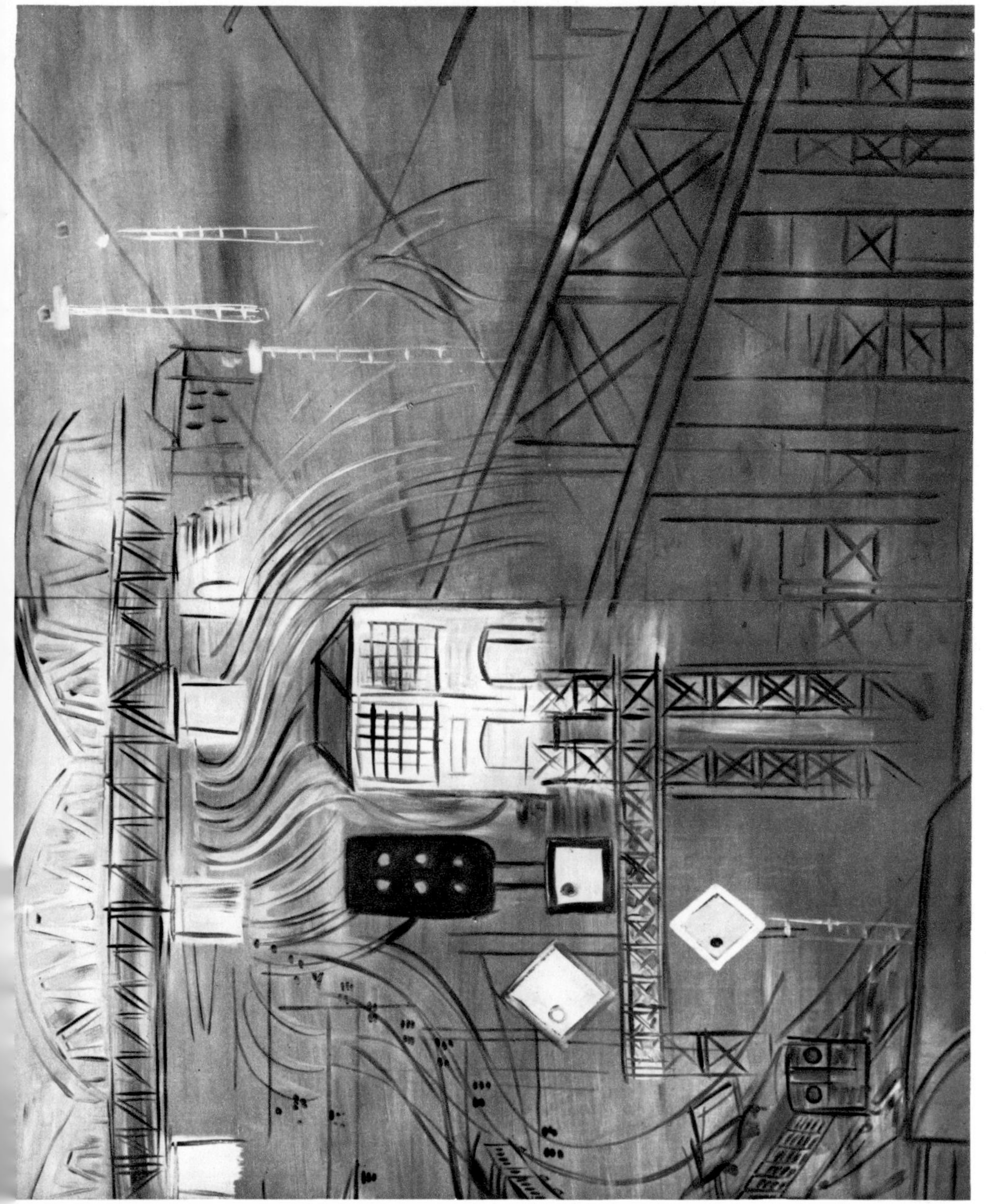

DECORATION DU PALAIS DE L'ÉLECTRICITÉ
(Détail 1937)
Propriété Electricité de France

Photo Mourlot

DÉCORATION DU PALAIS DE L'ÉLECTRICITÉ
(Détail 1937)
Propriété Electricité de France

Photo Mourlot

DÉCORATION DU PALAIS DE L'ÉLECTRICITÉ
(Détail 1937)
Propriété Electricité de France

Photo Mourlot

COMPOSITION POUR LE MUSÉE DU JARDIN
DES PLANTES (1938)
Collection particulière

Photo Karquel

LE MOULIN DE LA GALETTE D'APRÈS RENOIR (1939)
Collection particulière

CONCERTO PIANO ET ORCHESTRE (1946)
Collection particulière

Photo Karquel

L'ATELIER AU DESSIN (1942)
Collection particulière

Photo Galerie Louis Carré

DÉPIQUAGE (Dessin aquarellé 1946)
Collection particulière

Photo P. L. Thiessard

AQUARELLE (1948)
Collection particulière

Photo P. L. Thiessard

CONCERTO DE MOZART (I) - 1951
Collection particulière

Photo Galerie Louis Carré

SOUVENIR DE « HARRY SCHEFFER » SUR LEQUEL DUFY CHARGEA SOUVENT DU CHARBON POUR ROTTERDAM (1953)
(exécuté spécialement pour cet ouvrage)

Photo Braun

SOUVENIR DE L'ATELIER DU PÈRE LHUILLIER
AU HAVRE EN 1895 (1953)
(exécuté spécialement pour cet ouvrage)

Photo Braun

CE
VOLUME
DE LA COLLECTION
"PALETTES"
PUBLIÉ SOUS LA DIRECTION
DE GEORGE BESSON
A ÉTÉ TIRÉ
SUR LES PRESSES
DE BRAUN ET CIE
IMPRIMEURS
A MULHOUSE-DORNACH
HAUT-RHIN
FRANCE